中华人民共和国国家标准

水泥窑协同处置工业废物设计规范

Code for design of industrial waste composition
in cement kiln

GB 50634-2010
(2015年版)

主编部门：国家建筑材料工业标准定额总站
批准部门：中华人民共和国住房和城乡建设部
施行日期：2011年10月1日

中国计划出版社

2011　北　京

中华人民共和国国家标准
水泥窑协同处置工业废物设计规范
GB 50634-2010
(2015年版)

☆

中国计划出版社出版

地址:北京市西城区木樨地北里甲11号国宏大厦C座3层

邮政编码:100038　电话:(010)63906433(发行部)

新华书店北京发行所发行

三河富华印刷包装有限公司印刷

850mm×1168mm　1/32　2.375印张　57千字

2015年8月第1版　2015年8月第1次印刷

☆

统一书号:1580242·714

定价:15.00元

版权所有　侵权必究

侵权举报电话:(010)63906404

如有印装质量问题,请寄本社出版部调换

中华人民共和国住房和城乡建设部公告

第847号

住房城乡建设部关于发布国家标准《水泥窑协同处置工业废物设计规范》局部修订的公告

现批准《水泥窑协同处置工业废物设计规范》GB 50634—2010局部修订的条文,自发布之日起实施。经此次修改的原条文同时废止。

局部修订的条文及具体内容,将刊登在我部有关网站和近期出版的《工程建设标准化》刊物上。

中华人民共和国住房和城乡建设部
2015年6月30日

中华人民共和国住房和城乡建设部公告

第 819 号

关于发布国家标准 《水泥窑协同处置工业废物设计规范》的公告

现批准《水泥窑协同处置工业废物设计规范》为国家标准,编号为 GB 50634—2010,自 2011 年 10 月 1 日起实施。其中,第 4.3.3、7.1.4、7.1.6、10.1.4、10.2.13、11.1.6、11.2.2、11.3.3 条为强制性条文,必须严格执行。

本规范由我部标准定额研究所组织中国计划出版社出版发行。

中华人民共和国住房和城乡建设部
二〇一〇年十一月三日

前　言

本规范是根据住房和城乡建设部《关于印发〈2008年工程建设标准规范制订、修订计划（第二批）〉的通知》（建标〔2008〕105号）的要求，由天津水泥工业设计研究院有限公司会同有关单位共同编制完成的。

本规范共分11章。主要内容包括：总则，术语，设计原则，工业废物的处置规模、技术与装备要求，工业废物的主要类别及品质要求，总平面布置，工业废物的接收、运输与储存，工业废物预处理系统，水泥窑协同处置工业废物的接口设计，环境保护，劳动安全与职业卫生等。

本规范中以黑体字标志的条文为强制性条文，必须严格执行。

本规范由住房和城乡建设部负责管理和对强制性条文的解释，国家建筑材料工业标准定额总站负责日常管理，天津水泥工业设计研究院有限公司负责具体技术内容的解释。各有关单位在执行本规范的过程中，请结合工程实际情况，注意积累资料，总结经验，如发现需要修改和补充之处，请将意见和有关资料寄交天津水泥工业设计研究院有限公司（地址：天津市北辰区引河里北道1号，邮政编码：300400），以便今后修订时参考。

本规范主编单位、参编单位、主要起草人和主要审查人：

主 编 单 位：天津水泥工业设计研究院有限公司
　　　　　　　国家建筑材料工业标准定额总站
参 编 单 位：中国中材国际工程股份有限公司
参 加 单 位：广州市越堡水泥有限公司
　　　　　　　北京金隅集团有限责任公司
　　　　　　　吉林亚泰水泥有限公司

上海建筑材料集团水泥有限公司
拉法基瑞安水泥有限公司
主要起草人: 宋寿顺　胡芝娟　隋明洁　李　惠　沈序辉
范毓林　吴　涛　杨路林　岳润清　张万昌
主要审查人: 曾学敏　吴佐民　凌伟煊　狄东仁　陆民宪
李观书　王中革　范晓虹　孙伟舰　杨学权
文柏鸣

目　　次

1 总　　则 …………………………………………………… (1)
2 术　　语 …………………………………………………… (2)
3 设计原则 …………………………………………………… (4)
　3.1 总体设计原则 ………………………………………… (4)
　3.2 基本设计原则 ………………………………………… (4)
4 工业废物的处置规模、技术与装备要求 ………………… (6)
　4.1 规模划分 ……………………………………………… (6)
　4.2 主要设计内容 ………………………………………… (6)
　4.3 技术与装备要求 ……………………………………… (7)
5 工业废物的主要类别及品质要求 ………………………… (8)
　5.1 工业废物的分类 ……………………………………… (8)
　5.2 工业废物的品质控制要求 …………………………… (8)
6 总平面布置 ………………………………………………… (9)
　6.1 厂址的选择 …………………………………………… (9)
　6.2 厂区内的总图设计 …………………………………… (10)
　6.3 厂区道路设计要求 …………………………………… (10)
7 工业废物的接收、运输与储存 …………………………… (12)
　7.1 工业废物的接收 ……………………………………… (12)
　7.2 工业废物的输送 ……………………………………… (12)
　7.3 工业废物的运输车辆 ………………………………… (13)
　7.4 工业废物的储存 ……………………………………… (14)
8 工业废物预处理系统 ……………………………………… (17)
　8.1 一般规定 ……………………………………………… (17)
　8.2 工业废物破碎、配伍系统 …………………………… (18)
　8.3 工业废物的干化处理 ………………………………… (19)

9 水泥窑协同处置工业废物的接口设计 ………………………（20）
　9.1 替代原料的接口设计 ……………………………………（20）
　9.2 替代燃料的接口设计 ……………………………………（20）
　9.3 水泥窑协同处置危险废物的接口设计 …………………（21）
10 环境保护 ……………………………………………………（23）
　10.1 一般规定 ………………………………………………（23）
　10.2 环境保护 ………………………………………………（23）
11 劳动安全与职业卫生 ………………………………………（25）
　11.1 一般规定 ………………………………………………（25）
　11.2 安全生产 ………………………………………………（25）
　11.3 劳动保护 ………………………………………………（26）
附录 A 水泥窑可处置的工业废物种类 ………………………（28）
本规范用词说明 …………………………………………………（31）
引用标准名录 ……………………………………………………（32）
附:条文说明 ……………………………………………………（33）

Contents

1 General provisions ……………………………………… (1)
2 Terms ………………………………………………… (2)
3 Design principles ……………………………………… (4)
   3.1 General design principles ………………………… (4)
   3.2 Basic design principles …………………………… (4)
4 Disposal scale of the industrial waste and
   requestirements for technology & equipment ………… (6)
   4.1 Division of the scale ……………………………… (6)
   4.2 Program contents ………………………………… (6)
   4.3 Requirements for the technology & equipment …… (7)
5 Main types and quality requirements for the
   industrial waste ……………………………………… (8)
   5.1 Main types of the industrial waste ……………… (8)
   5.2 Quality requirements for the industrial waste ……… (8)
6 General layout ………………………………………… (9)
   6.1 Site selection ……………………………………… (9)
   6.2 Design of general layout in the site ……………… (10)
   6.3 Design requirements of road in the site ………… (10)
7 Reception, transportation and storage of the
   industrial waste ……………………………………… (12)
   7.1 Reception of the industrial waste ………………… (12)
   7.2 Transportation of the industrial waste …………… (12)
   7.3 Transportation trolley of the industrial waste ……… (13)

7.4 Storage of the industrial waste ································· (14)
8 Pretreatment of the industrial waste ························ (17)
　8.1 General requirement ··· (17)
　8.2 Crushing and compatibility of the industrial waste ·········· (18)
　8.3 Drying of the industrial waste ································ (19)
9 Interface design of the industrial waste co-composition in cement kiln ··· (20)
　9.1 Interface design of the industrial waste as alternative raw material ··· (20)
　9.2 Interface design of the industrial waste as alternative fuels ··· (20)
　9.3 Interface design of the hazardous industrial waste co-composition in cement kiln ································· (21)
10 Environmental protection ·· (23)
　10.1 General requirement ··· (23)
　10.2 Environmental protection ··································· (23)
11 Labor safety and occupational health ························ (25)
　11.1 General requirement ··· (25)
　11.2 Safety production ··· (25)
　11.3 Labor protection ·· (26)
Appendix A　Industrial waste co-composition cement kiln ··· (28)
Explanation of wording in this code ······························ (31)
List of quoted standards ··· (32)
Addition:Explanation of provisions ······························· (33)

1 总　　则

1.0.1 为在水泥窑协同处置工业废物设计中贯彻国家有关法律法规，实现工业废物水泥窑无害化协同处置，规范水泥窑协同处置工业废物的技术标准，制定本规范。

1.0.2 本规范适用于新建、改建及扩建新型干法水泥熟料生产线协同处置工业废物的工程设计。

1.0.3 水泥窑协同处置工业废物，应确定合理的建设规模，做到安全可靠、技术先进、经济合理。

1.0.4 水泥窑协同处置工业废物的设计，应采用成熟可靠的技术、工艺、材料和设备，并应吸取国内外先进成熟经验和科研成果，积极稳妥地采用新技术。

1.0.5 水泥窑协同处置工业废物的设计，除应符合本规范外，尚应符合国家现行有关标准的规定。

2 术　　语

2.0.1　工业废物　industrial waste
指在工业生产活动中产生的丧失原有利用价值或者虽未丧失利用价值但被抛弃或者放弃的固态、半固态、液态和置于容器中的气态物品、物质。

2.0.2　危险废物　hazardous waste
指根据国家现行标准《危险废物鉴别标准》GB 5085 和《危险废物鉴别技术规范》HJ/T 298 判定的具有危险特性的废物。

2.0.3　一般工业废物　general industrial waste
指在工业生产活动中产生的根据国家现行标准《危险废物鉴别标准》GB 5085 和《危险废物鉴别技术规范》HJ/T 298 判定的不具有危险特性的废物。

2.0.4　水泥窑协同处置　composition in cement kiln
指通过高温焚烧及水泥熟料矿物化高温烧结过程，实现使工业废物、污泥、生活垃圾中的毒害特性分解、降解、消除、惰性化、稳定化等目的的废物处置技术手段。

2.0.5　无害化处置　environmentally sound disposal
指通过水泥窑协同处置，使工业废物、污泥、生活垃圾处置后对人体健康和环境不构成危害。

2.0.6　替代燃料　alternative fuels
指代替水泥熟料生产中天然化石燃料的可燃工业废物。

2.0.7　替代原料　alternative raw materials
指代替水泥窑熟料生产中某种原料的工业废物。

2.0.8　直接干燥　direct drying
指将热气直接引入干燥器，通过气体与湿物料的直接换热，使湿物料中的水分得以蒸发并得到最终产品的过程。

2.0.9 间接干燥　indirect drying

指热气的热量通过热交换器,传给某种介质后再与湿物料进行换热,使湿物料中的水分得以蒸发并得到最终产品的过程。

2.0.10 工业废物预处理　pretreatment for industrial waste

指通过改变工业废物的组成或结构等手段,使工业废物转化为适于水泥厂运输、储存、原料燃料替代及最终无害化处置的过程。

3 设计原则

3.1 总体设计原则

3.1.1 水泥窑协同处置工业废物,应依据拟处置工业废物的类别,制定工业废物预处理工艺及技术方案,并应依据所处置工业废物的特性确定处置规模。

3.1.2 水泥窑协同处置工业废物的设计中,不得采用国家明令淘汰的技术工艺和设备。

3.1.3 水泥厂从事收集、储存、处置危险废物,应通过工业试验或同质对比确定处置方案。

3.1.4 水泥窑协同处置工业废物后,水泥产品的质量应符合现行国家标准《硅酸盐水泥熟料》GB/T 21372 的有关规定。

3.1.5 水泥窑协同处置工业废物过程中的污染物排放,应符合国家现行有关标准的规定。大气污染物应符合现行国家标准《水泥工业大气污染物排放标准》GB 4915 的有关规定,污水处理程度及污水排放应符合现行国家标准《污水综合排放标准》GB 8978 的有关规定,对于向大气排放恶臭气体的设施还应符合现行国家标准《恶臭污染物排放标准》GB 14554 的有关规定。

3.2 基本设计原则

3.2.1 水泥窑协同处置工业废物,应按现行国家标准《危险废物鉴别标准》GB 5085 的有关规定对拟处置工业废物的易燃性、腐蚀性、反应性、生理毒性等进行鉴别,并应根据工业废物的危险特性、服务范围内的工业废物的可焚烧量、分布情况、增长以及变化趋势等确定相应的预处理工艺及处理规模。

3.2.2 现有水泥生产线协同处置工业废物,应根据现有生产线的具体条件选择预处理及焚烧工艺、调整现有生产线和工业废物处置工艺之间的衔接。

3.2.3 水泥窑协同处置工业废物的新建工程,其建设规模和技术方案的选择,应根据城市社会经济发展水平、城市总体规划、环境保护专业规划及焚烧技术的适用性等综合确定。

3.2.4 水泥窑协同处置工业废物宜在2000t/d及以上的新型干法水泥熟料生产线上进行。

4 工业废物的处置规模、技术与装备要求

4.1 规模划分

4.1.1 水泥窑协同处置危险废物或一般工业废物的单线设计规模，可按表4.1.1的规定划分。

表 4.1.1 水泥窑协同处置废物的单线设计规模

级别	单线设计规模分类	处置量（t/a）	
		危险废物	一般工业废物
Ⅰ	大型	＞20000	＞80000
Ⅱ	中型	5000～20000	20000～80000
Ⅲ	小型	＜5000	＜20000

4.1.2 水泥窑协同处置工业废物的设计规模，应根据环境卫生专业规划、服务区范围内的工业废物产生量现状及其预测、经济性、技术可行性和可靠性等因素确定。

4.2 主要设计内容

4.2.1 水泥窑协同处置工业废物的工程设计内容，应包括进厂接收系统、分析鉴别系统、储存与输送系统、预处理系统、焚烧系统、热能回收利用系统、烟气净化系统、自动化控制系统、在线监测系统、电气系统、压缩空气供应、供配电、给排水、污水处理、消防、通信、暖通空调、机械维修、车辆冲洗等设施。

4.2.2 水泥窑协同处置工业废物在建设过程中宜与水泥生产系统共用部分公用辅助设施；位于工业园区的新建、改建或扩建项目宜利用园区内现有共用设施。

4.3 技术与装备要求

4.3.1 水泥窑协同处置工业废物技术与装备,应符合下列要求:

1 水泥窑协同处置工业废物的工艺装备和自动化控制水平,不应低于依托水泥熟料生产线的水平。

2 预处理及协同处置的工艺处置技术与装备,应根据所处置工业废物的特点确定,需引进的设备、部件及仪表,应进行技术经济论证后确定。

3 水泥窑协同处置工业废物应保证可燃性一般工业废物在高温区投入回转窑系统。

4 水分含量高的一般工业废物作为替代燃料使用时,宜设置预处理系统进行干化处置。

5 一般工业废物应根据其成分、热值等参数进行预均化处理,并应注意相互间的相容性。处置危险废物前应预先进行配伍实验。

6 含有易挥发成分的替代原料应先经过预处理,不应直接以通常的生料喂料方式喂料。

4.3.2 可燃性一般工业废物焚烧处置,应在850℃以上的区域投入,同时烟气停留时间应大于2s。

4.3.3 水泥窑协同处置危险废物应在温度1100℃以上的区域投入,同时烟气停留时间应大于2s。

5 工业废物的主要类别及品质要求

5.1 工业废物的分类

5.1.1 水泥窑可处置的工业废物应符合本规范附录 A 的有关规定。

5.1.2 作为替代原料的工业废物中，氧化钙、二氧化硅、三氧化二铝、三氧化二铁灼烧基含量总和应达到 80% 以上。

5.1.3 作为替代燃料的工业废物，主要要求及判别依据应符合下列要求：

    1 入窑实物基废物的热值应大于 11MJ/kg；

    2 入窑实物基废物的灰分含量应小于 50%；

    3 入窑实物基废物的水分含量应小于 20%。

5.1.4 无法满足本规范第 5.1.2 条和第 5.1.3 条要求的工业废物，均应按水泥窑无害化处置。

5.2 工业废物的品质控制要求

5.2.1 工业废物作为替代原料及燃料的品质，应符合水泥工厂产品方案的要求。

5.2.2 水泥窑协同处置工业废物后，水泥熟料和水泥产品中的重金属含量应符合现行国家标准《水泥工厂设计规范》GB 50295 的有关规定。

6 总平面布置

6.1 厂址的选择

6.1.1 新建水泥窑协同处置工业废物的生产线,厂址的选择及工业废物预处理车间的布局应符合本地区工业布局和建设发展规划的要求,并应按国家有关法律、法规及前期工作的规定进行。

6.1.2 现有水泥生产线进行协同处置工业废物的技术改造工程,预处理车间的选址应根据交通运输、供电、供水、供热、工程地质、企业协作、场地现有设施、工业废物来源及储存、协同处置衔接、预处理的环境保护等条件进行技术经济比较后确定。

6.1.3 厂址选择应符合城乡总体发展规划和环境保护专业规划,并应符合当地的大气污染防治、水资源保护和自然生态保护要求,同时应通过环境影响评价和环境风险评价。

6.1.4 厂址条件应符合下列要求:

1 厂址选择应符合现行国家标准《地表水环境质量标准》GB 3838 和《环境空气质量标准》GB 3095 的有关规定,处置危险废物的工厂选址还应符合现行国家标准《危险废物焚烧污染控制标准》GB 18484 的有关规定。

2 厂址应具备满足工程建设要求的工程地质条件和水文地质条件,不应建在受洪水、潮水或内涝威胁的地区。当条件限制而必须建在受洪水、潮水或内涝威胁地区时,应设置抵御 100 年一遇洪水的防洪、排涝设施。

3 水泥窑协同处置危险废物预处理车间选址时,应符合国家现行标准《危险废物贮存污染控制标准》GB 18597 及《危险废物集中焚烧处置工程建设技术规范》HJ/T 176 的有关规定。

4 有异味产生的预处理车间应避开环境保护敏感区,烟囱高度的设置应符合现行国家标准《恶臭污染物排放标准》GB 14554的有关规定。

5 水泥窑协同处置危险废物应保证废物预处理车间达到双路电力供应。

6 水泥窑协同处置工业废物生产线应有供水水源和污水处理及排放系统,必要时应建立独立的污水处理及排放系统。

6.2 厂区内的总图设计

6.2.1 工业废物的预处理及共焚烧车间的总图设计,应根据依托水泥生产线的生产、运输、环境保护、职业卫生与劳动安全、职工生活,以及电力、通信、热力、给排水、污水处理、防洪和排涝等设施,经多方案综合比较后确定。

6.2.2 人流和物流的出入口设置应符合城市交通的有关要求,并应实现人流和物流分离,同时应方便工业废物运输车进出。

6.2.3 生产和生活服务等辅助设施应利用水泥生产线的公用设施,并可根据社会化服务原则利用当地的公用设施。

6.2.4 预处理车间及储存设施应设置带标识的分隔装置,危险废物物流的出入口以及接收、储存、转运和处置场所等主要设施的设置,应与水泥生产设施隔离,并应设置危险废物标识。

6.2.5 工业废物的接收计量应采用水泥生产线的汽车衡计量;如需要单独设置汽车衡,应将汽车衡设在废物接收的入口处,且宜为直通式,并应具备通视条件。汽车衡与废物储存、接收设施的距离应大于1辆最长车的长度。

6.2.6 废物运输车辆的洗车设施应单独设置,并应根据危险废物的洗车污水用量单独设置水处理系统。

6.3 厂区道路设计要求

6.3.1 厂内道路应根据工厂规模、运输要求、管线布置要求等合理确定,厂区道路的设置应满足交通运输、消防及各种管线的铺设要求。

6.3.2 厂区主要道路的行车路面宽度不宜小于6m,车行道宜设环形道路。工业废物预处理车间及储存接收设施处应设消防道路,道路的宽度不应小于4m。路面宜采用水泥混凝土或沥青混凝土,道路的荷载等级应符合现行国家标准《厂矿道路设计规范》GBJ 22的有关规定。

6.3.3 厂区内应设运输车辆的临时停车场地。临时停车场地应设置在物流出入口及工业废物接收设施附近。

6.3.4 道路转弯半径与作业场地面积应按各功能区内通行的最大规格车型确定。

7 工业废物的接收、运输与储存

7.1 工业废物的接收

7.1.1 工业废物的接收应进行计量,计量站旁应设置抽样检查停车检查区,并宜与水泥生产线物料计量设施共用。

7.1.2 单独设置工业废物计量汽车衡时,汽车衡的规格宜按运输车最大满载重量的1.7倍设置。

7.1.3 厂区内部工业废物的卸料作业区及转运站,宜布置在厂区内远离建筑物的一侧。

7.1.4 危险废物或可产生挥发性气体的一般工业废物的卸料空间,应采用密封构筑物或建筑物,并应配置换气、降尘、除臭系统,同时应保持系统与车辆卸料动作联动。

7.1.5 工业废物进厂应进行质量检验。

7.1.6 工业废物卸料、转运作业区应设置车辆作业指示标牌和安全警示标志。

7.2 工业废物的输送

7.2.1 厂内工业废物的输送应根据工业废物的性质、输送能力、输送距离、输送高度等因素结合工艺布置选择输送设备。

7.2.2 工业废物的输送宜采用密闭方式进行,并应符合下列要求:

1 应根据危险废物的成分使用专门容器分类收集输送,容器应符合现行国家标准《危险废物贮存污染控制标准》GB 18597的有关规定。

2 粉尘状工业废物的输送转运点应设置收尘装置。

3 产生异味工业废物的输送过程应设置防止异味扩散的

装置。

4 工业废物输送过程中应采取防泄漏、防散落、防破损、防雨、防晒、防风的措施。

7.2.3 液态工业废物可采用管道泵送,并应符合下列要求:

1 泵送管道应根据所输送工业废物的物理特性及所在地区的气候采取伴热管及保温处理措施。

2 泵送管道应分段采用法兰连接,管道连接段长度应按废物的易凝结程度选择。

3 管道泵送宜配置压缩空气伴行吹堵。

7.3 工业废物的运输车辆

7.3.1 一般工业废物的运输车辆,应根据工业废物的特性选择,宜选用同一型号、规格的车辆。

7.3.2 运输过程中有挥发性气体逸出的工业废物,应选用密封式车辆运输。

7.3.3 运输危险废物的车辆应选用密封式,车辆应配备全球卫星定位和事故报警装置,并应设置危险警示标识。

7.3.4 各类工业废物的运输车辆总数量,应按下式计算:

$$N = \sum n_i = \sum \frac{\eta Q_i}{T_i q_i} \quad (7.3.4)$$

式中:N——工业废物运输车辆总数量(辆);

n_i——第 i 类工业废物运输需要的车辆数量(辆);

η——运输车辆冗余系数(1.1~1.3),如有不同种类工业废物采用同型号车辆运输时可取下限值;

Q_i——第 i 类工业废物日运输设计量(最大值)(t/d);

T_i——第 i 类工业废物日运输周转次数(次/d);

q_i——第 i 类工业废物运输车辆的单辆运输能力(t/辆·次)。

7.3.5 采用可分离装载容器的运输车辆进行运输时,装载容器数量可按下式计算：
$$n = m + n_v - 1 \quad (7.3.5)$$
式中：n——装载容器数量；

m——工业废物收集点数量；

n_v——使用该类装载容器的运输车辆数量。

7.4 工业废物的储存

7.4.1 对进厂的工业废物应设置初检室进行检测，并应确定废物的物理化学分类，应根据检测结果确定储存方式。

7.4.2 工业废物应分类存放。已经过检测和未经过检测的工业废物应分区存放；已经过检测的工业废物还应按物理、化学性质分区存放。

7.4.3 危险废物应按其相容性分区存放，不相容的危险废物存放区应设置隔断。

7.4.4 储存危险废物可建造专用的危险废物储存设施，也可利用原有的构筑物改建成危险废物储存设施。

7.4.5 工业废物储存场所应设置专用标志，并应符合现行国家标准《环境保护图形标志——固体废物贮存（处置）场》GB 15562.2 的有关规定。

7.4.6 一般工业废物储存设施应符合下列要求：

1 储存设施应根据处置工业废物的性能特点设定防酸、防碱腐蚀等级，且储坑及上方构筑物应进行防酸、防碱腐蚀处理。

2 工业废物储存渗滤液应设计收集排水设施，并应对其定期进行处理，同时应经测定符合现行国家标准《污水综合排放标准》GB 8978 的有关规定后再排放。

3 废液采用储池储存时，如废液挥发性较强，应采用密封储池，并应设置废气吸收及尾气净化装置。

4 采用密封仓储存工业废物时，应在进厂不同废物间设置隔栅，宜采用防粘浅底仓。采用直筒仓时，仓底应设置滑架结构，湿粘物料的卸料宜采用双轴螺旋自挤压卸料方式。

5 密封仓应设置换气装置,换气量宜按 1h 气体更换 3 次～5 次。储存易燃工业废物,应配置温度传感器。

6 储存设施应采取防震、防火、换气、空气净化等措施,并应配备应急安全设备。

7.4.7 一般工业废物的储存设施,应符合现行国家标准《一般工业固体废物贮存、处置场污染控制标准》GB 18599 的有关规定。

7.4.8 常温常压下不水解、不挥发的固体危险废物,可在储存设施内分别堆放,其他类危险废物应装入容器内储存。储存容器应符合下列要求:

1 储存容器应具有耐腐蚀、耐压、不与所储存的废物发生化学反应等特性。

2 储存容器应保证完好无损,并应标有危险废物专用标志。

7.4.9 危险废物的储存设施应符合现行国家标准《危险废物贮存污染控制标准》GB 18597 的有关规定。

7.4.10 各批次危险废物在混合前应预先进行配料试验。

7.4.11 作为替代原料的工业废物,储存的方式应符合下列要求:

1 块状替代原料可选用堆棚或联合储库储存,粒度较大的替代原料应先进行破碎后储存。

2 湿度大于 10% 的粒状替代原料宜采用堆棚或联合储库储存;湿度小于 10% 的干粒状替代原料应采用圆库储存。

3 干粉状替代原料应采用圆库储存。

4 湿粉状替代原料应采用浅底防粘连仓或带有强制推料装置的圆形筒仓储存。

7.4.12 作为替代燃料的工业废物,储存及输送应符合下列要求:

1 工业废液应采用储池、储罐储存,储池应设置过滤装置。

2 采用管道输送时应进行流量计量。

3 颗粒或者粉状的高热值废物应采用钢仓储存,钢仓倾角应大于 65°。

4 成品储存仓应根据燃料制备工作制度确定。替代燃料制备连续运行时,可按4h～6h设定储存仓的规格;替代燃料间歇制备时,储存仓的规格不应小于正常间隔时间加3h备用。

5 储存仓卸料口应满足储仓100％卸空的要求。

6 替代燃料储存仓与卸料设施之间应配置闸板式阀门。

7 替代燃料的储存应进行计量。

8 自烧成系统窑头进入的替代燃料宜采用气力输送;自分解炉进入的替代燃料可根据输送距离、加入位置、分散要求等选择气力输送或机械输送。

7.4.13 工业废物的储存周期应根据工厂规模、废物来源、物料性能、运输方式、市场等确定,并应符合表7.4.13的规定。

表7.4.13 工业废物的储存周期(d)

物料名称	储存周期	
	堆垛	储坑
一般工业废物	2～3	1～1.5
危险废物	5～7	0.5～1

注:1 采用独立库房储存的危险废物,其储存周期应按15d～20d设计。
　2 具有密封包装的无害化处置的危险废物,在厂区内的存放时间不应超过30d。
　3 易发酵变质的工业废物应按日产日清的原则进行处置,储存周期应按1d～1.5d设计。

7.4.14 工业废物储存周期的设计应满足水泥工厂工艺运行要求,并应满足设备大修和工业废物配伍焚烧的要求。

8 工业废物预处理系统

8.1 一般规定

8.1.1 预处理系统工艺布置应采取防止异味、粉尘的散发、溶析及渗漏等措施。

8.1.2 预处理工艺主要设备的设计年利用率,应按工厂规模、工业废物处置量、主机类型、使用条件等因素确定。

8.1.3 主要预处理系统的工作制度应根据各系统之间的相互关系、与水泥窑系统的衔接、协同处置的方式等确定,并宜符合表8.1.3的规定。

表8.1.3 主要预处理系统工作制度

系 统 名 称	每周工作天数	日工作班制
工业废物替代原料	7	3
一般工业废物替代燃料制备	7	2～3
危险废物处置	7	2～3
工业废物烘干	7	3
替代原燃料综合利用	7	2～3
水泥窑替代燃料利用	7	3
预处理车间尾气净化	7	3
预处理车间废水处理	7	2～3
预处理车间排出废物处置	7	1～2

8.1.4 水泥窑协同处置工业废物的热耗及电耗统计,应符合下列要求:

1 热耗应由传统燃料热耗加替代燃料热耗构成。

2 预处理系统所需的热源应采用生产废热。

3 若预处理过程需要增加其他燃料,增加燃料所产生的热耗应计入工业废物预处理热耗。

4 工业废物作为替代燃料的替代比例应按下式计算:

$$\eta = \frac{q_0 - q_c}{q_0} \times 100\% \qquad (8.1.4)$$

式中:η——燃料替代比例;

q_0——不处置工业废物时水泥生产线的热耗;

q_c——工业废物替代燃料后,水泥生产线所需传统燃料贡献的热耗。

5 预处理系统的电耗及接口系统的电耗应计入预处理系统电耗。

8.2 工业废物破碎、配伍系统

8.2.1 工业废物的破碎、配伍系统的工艺布置,应根据工业废物的来源、储存系统的工艺布置、水泥窑接口系统工艺条件等确定。

8.2.2 破碎机的形式和破碎级数应根据待处置工业废物的磨蚀性、来料粒度、出料粒度等要求进行选择。

8.2.3 作为替代原料的工业废物的破碎,应选择与现有生产线共用破碎机。需单独设置破碎时,应根据物料的特性进行破碎机选型,并应选用单段破碎。

8.2.4 工业废物替代燃料破碎系统宜采用多级破碎。

8.2.5 危险废物破碎机应设置防爆通道及不可破碎物排出通道。

8.2.6 工业废物中对水泥生产有害的组分应采用分选工艺去除,对富集的有害组分应采取后续处置措施。

8.2.7 工业废物的分选宜选用组合分选装置。如需采用多级装备组合,各设备的处理能力应按工业废物分选的能力要求进行匹配。

8.2.8 处置危险废物的分选设备应设置安全防爆装置。

8.2.9 采用混合搅拌配伍的工业废物,所选择的混料器采用螺旋结构时,应设置为可正、反转,并应可实现缠绕条状废物自解套。

8.2.10 处置危险废物的混合搅拌配伍设备,应设置温度、可燃气体成分与浓度监测,并应配置观察孔、防爆阀接口等设施。

8.2.11 工业废物替代燃料进行水分、热值、有害组分调配时,若采用干燥、分选、输送等设备联用可满足均化要求,则不宜设置独立的混合配伍装置。

8.3 工业废物的干化处理

8.3.1 水分含量高的工业废物作为替代燃料处置时,宜单独设置干化系统。

8.3.2 干化设备的工作温度和干燥介质的氧气浓度,应根据所处置危险废物的闪燃点确定。

8.3.3 干化后工业废物的水分含量应根据替代燃料的制备及水泥窑处置的经济性确定,并应满足输送、储存和计量的要求。

8.3.4 干化的热源应利用烧成系统的废气,也可单独设置燃烧装置供热。单独设置燃烧装置用于干化部分的热耗应计入工业废物预处理热耗。

8.3.5 干化系统的工艺流程应根据工业废物的性质、水分蒸发量、烧成系统的废热供应能力等进行选择,可采用烟气直接干燥或间接干燥。

8.3.6 干化系统应靠近热源及料源布置。

8.3.7 干化系统的尾气应进行除尘、除臭及无害化处理,并应根据实际情况配置污水处理系统。

8.3.8 干化系统的除尘应采用袋收尘器,收尘设备应设置防爆、防燃、防静电设施,收尘器出口的烟气温度应控制在高于露点温度30℃以上。

9 水泥窑协同处置工业废物的接口设计

9.1 替代原料的接口设计

9.1.1 工业废物替代原料储存仓(或储库)设计,应符合下列要求:

1 储存仓的规格、数量应按处置规模及替代原料的储存期确定。

2 替代原料储存仓应按处置废物的类别单独设置。

3 采用储库时,其库顶厂房的设置应根据厂区所在地区的气候特点确定。

4 储存仓的卸料口应满足储存仓100%卸空的要求。

5 替代原料的计量宜选用定量给料机。

6 储存仓与卸料设施之间应配置闸板阀门。

9.1.2 工业废物替代原料储存仓(或储库)的除尘设计,应符合下列要求:

1 所有卸料扬尘点应设置收尘集气装置。

2 地沟及密封的输送走廊应配置通风设施。

9.2 替代燃料的接口设计

9.2.1 工业废物替代燃料进入水泥窑焚烧时,应符合下列要求:

1 废液替代燃料应采用独立管道系统,其喷射进料口可附设在水泥烧成系统窑头燃烧器上,也可单独设置。

2 废液喷射前应进行雾化处理,雾化粒度应根据替代燃料的燃烧速度控制要求确定。

3 废液喷射入水泥回转窑后,燃烧火焰区域应与现有燃烧器火焰区域相互重叠。

4 采用气力输送固体替代燃料进入水泥窑,喷射风速应大于25m/s,颗粒状废物的粒度应控制在5mm以下,碎片状废物的粒度应控制在25mm以下。

5 固体替代燃料焚烧应在燃烧器主燃烧火焰中进行,废物燃烧应与煤粉燃烧喷嘴喷出至开始燃烧的距离一致。

9.2.2 工业废物替代燃料进入分解炉焚烧时,应符合下列要求:

1 替代燃料进入分解炉焚烧应在气流中分散良好,且其在分解炉内燃烧停留时间应满足燃尽的要求。

2 替代燃料入料口应设置锁风装置,大块的替代燃料采用间歇式进料时,应设置双道锁风。

3 粉状及细颗粒物料可采用气动或机械输送,且替代燃料应在进入分解炉前进行计量。

4 技改工程增设的替代燃料利用系统中的储存仓、输送、计量、锁风设备,不应妨碍现有水泥生产线正常的维护、检修、巡视通道要求。

5 粘性较强的替代燃料,应在替代燃料进入分解炉的卸料口处设置防堵塞装置。

6 分解炉的替代燃料入料口附近的耐火材料,应根据替代燃料的燃烧特点进行设计。

9.3 水泥窑协同处置危险废物的接口设计

9.3.1 水泥窑协同处置危险废物的接口设计,应符合下列要求:

1 利用烧成系统回转窑处置危险废物时,危险废物在窑内的停留时间应满足重金属固化的要求,采用压缩空气作为动力向水泥窑内投射的危险废物,应进行包装或采用已有的包装容器。

2 水泥窑尾及上升烟道的耐火材料应能抗碱金属和酸的腐蚀。

3 危险废物的输送、计量、锁风、分散设备应设置操作、维护检修平台。

4 利用水泥窑协同处置危险废物,窑尾宜增设空气炮的配置,增设比例宜为15%～25%。

5 利用现有水泥窑系统平台作为废物周转场地时,应保证人流、物流的通道畅通,且不得挤占耐火材料堆积区域,同时结构设计应计入该部分荷重。

9.3.2 当危险废物的有害成分影响水泥烧成系统正常生产时,宜进行旁路放风处理。

10 环境保护

10.1 一般规定

10.1.1 水泥窑协同处置工业废物应进行环境影响评价。

10.1.2 利用水泥窑协同处置工业废物的水泥厂,与居住区之间留有的卫生防护距离,应符合现行国家标准《水泥厂卫生防护距离标准》GB 18068 的有关规定。

10.1.3 水泥窑协同处置工业废物时,采取的处置方案应满足安全环保要求。产品或排放物中所含有毒有害物质浓度应符合国家现行有关产品及污染物排放标准的规定。

10.1.4 防治污染的环保设施必须与水泥窑协同处置工业废物主体工程同时设计、同时施工、同时投入使用。

10.2 环境保护

10.2.1 物料的储存形式应根据处置工业废物的特性及建厂地区的气候条件等确定,储存容器和储存场所均应符合现行国家标准《一般工业固体废物贮存、处置场污染控制标准》GB 18599、《危险废物贮存污染控制标准》GB 18597 的有关规定。

10.2.2 危险废物储存设施应设置泄漏液体收集装置及气体导出口和气体净化装置,并应符合现行国家标准《危险废物贮存污染控制标准》GB 18597 的有关规定。

10.2.3 废物处理、输送、装卸过程均应密闭,其处置全过程均应做好防风、防雨、防晒、防渗、防漏、防冲刷浸泡、防有毒有害气体散发等的设计。

10.2.4 工业废物协同处置过程中烟气排放应符合现行国家标准《水泥工业大气污染物排放标准》GB 4915 的有关规定。

10.2.5 水泥窑协同处置工业废物除尘及气体净化设备,应根据生产设备的能力、工业废物的特性配置除尘净化设备。

10.2.6 除尘净化设备应与对应的生产工艺设备设置连锁运行装置。

10.2.7 水泥窑协同处置工业废物应设置尾气在线监测设施。

10.2.8 破碎易形成扬尘的工业废物时,其破碎设备及转运应附设收尘设备。烟气净化系统的除尘设备应选用袋式除尘器,并应根据烟气性质选择滤袋和袋笼材质。不得使用静电除尘和机械除尘装置。

10.2.9 厂区内应采用雨污分流的排水系统,废物运输车辆及储存容器的冲洗废水、生产废水以及生活污水,不得与雨水合流排放。

10.2.10 各类废物渗滤液、冲洗运输车辆及储存设施的废水,应按其性质分类收集处理。

10.2.11 各类废物处置、堆存区域内的排水系统,应设置初期雨水、地坪冲洗水的收集措施,收集池中的废水及作业区的初期雨水应经过处理,并应符合现行国家标准《污水综合排放标准》GB 8978 的有关规定后排放。

10.2.12 工业废物处置过程中的废水经过处理后应回用。回用水质应符合现行国家标准《城市污水再生利用 城市杂用水水质》GB/T 18920 的有关规定。当废水经过处理后直接排入水体时,其水质应符合现行国家标准《污水综合排放标准》GB 8978 的有关规定。

10.2.13 未经处理的废物渗滤液及污水,严禁直接排放或随意倾倒。

10.2.14 工业废物处置过程中产生的恶臭污染物的控制与防治,应符合现行国家标准《恶臭污染物排放标准》GB 14554 的有关规定。

11 劳动安全与职业卫生

11.1 一般规定

11.1.1 利用水泥窑协同处置工业废物的水泥工厂,其劳动安全、职业卫生的设计应满足国家和地方现行的有关规定。工业废物的运输、接收、储存、预处理、处置废物系统等,应根据安全生产的需要采取安全预防措施。

11.1.2 利用水泥窑协同处置工业废物的水泥工厂,其工业废物处理、处置过程的机械化和自动化配置水平不应低于水泥熟料生产线的机械化和自动化配置水平,并应减少工人接触废物的时间。生产过程中各项不安全、不卫生的因素应遵循消除、隔离、防护的基本原则处置。

11.1.3 水泥工厂在进行水泥窑协同处置工业废物工程设计的前期论证阶段,应同时对项目的劳动安全、职业卫生作出论证,并应以专门的章节编入前期相关工作报告。

11.1.4 项目初步设计阶段应落实劳动安全、职业卫生、职业病防治预评价报告提出的建议和要求,并应设置劳动安全、职业卫生、职业病防治专项设施等相应项目。

11.1.5 项目施工图设计阶段,应落实有关劳动安全、职业卫生的内容及初步设计审查中提出的劳动安全、职业卫生、职业病防治方面的审查意见。

11.1.6 劳动安全与职业卫生的设计必须执行劳动安全、职业卫生设施与主体工程同时设计、同时施工、同时投入使用的规定。

11.2 安 全 生 产

11.2.1 自行运输工业废物的水泥工厂,应根据拟处置工业废物的种类、数量、成分与分布地点配置密闭桶、罐、储槽等容器,对工业废物进行分类收集、包装和运输,并应符合现行国家标准《一般工业固体废物贮存、处置场污染控制标准》GB 18599、《危险废物贮存污染控制标准》GB 18597 的有关规定。

11.2.2 危险废物运输应设计运输路线,且必须制定应急处理程序。当发生翻车或撞车等导致危险废物泄漏的事故时,必须立即启动应急处理程序。

11.2.3 不同种类废物应根据所收集工业废物的性质,按现行国家标准《危险废物贮存污染控制标准》GB 18597、《一般工业固体废物贮存、处置场污染控制标准》GB 18599 的有关规定进行分区、分类储存,并应对储存场所采取防雨、防晒、防渗、防漏、防腐、防爆等措施。

11.2.4 各种工业废物储存、处置场所应设置电视监视装置,监视信号应接至中央控制室。

11.2.5 危险废物的储存及处理、处置车间或场所,应采取防雷、避雷措施,同时应配置消防设施。设在危险废物的储存及处理、处置车间或场所的通风设备、电气设备、灯具,均应采用防腐、防爆设备。

11.2.6 处置工业废物厂房的安全出口数目不宜少于 2 个,当设 1 个安全出口时,其设置应符合现行国家标准《建筑设计防火规范》GB 50016 的有关规定。车间内应设置应急疏散通道;疏散通道及主要通道处应设置安全应急灯。

11.2.7 进行工业废物协同处置的水泥工厂,其通信设施应满足在废物处理、处置过程中所有车间各生产岗位之间通信联系和对外通信的要求。

11.3 劳动保护

11.3.1 水泥窑协同处置工业废物应选用密闭的设备、容器,且密封设备应设置在通风良好的建筑物内。密封车间应设置通风换气设施。

11.3.2 所有可产生作业性粉尘、有毒有害物质的厂房内,均应设置通风、除尘、除臭设施,并应保持通风、除尘、除臭设施完好。

11.3.3 危险废物预处理及处置环节,应设置监控、检测、检验设施及事故应急设施,并应设置禁止使用明火警示标识;车间内主要通道侧应设置事故防范和应急救援设施,并应设置洗手池、紧急淋浴器、中和溶液设施,同时应根据危险废物种类配备相应的个人防护用品。

11.3.4 工业废物储存、处理车间及场所应密闭,并应设置抽气净化装置,同时应保证室内形成微负压。废物接收、储存仓库应设置空气净化设施。

11.3.5 工业废物卸车、预处理、处置车间应采取全过程自动化控制,并宜设置连锁运行装置。

11.3.6 工厂应设置医疗室,并应配备急救设备及药品,医疗室应确保能对废物处理过程中突发性人身伤害事故做应急处理。

附录 A 水泥窑可处置的工业废物种类

A.0.1 水泥生产中作为替代原料的工业废物种类,应符合表 A.0.1 的规定。

表 A.0.1 水泥生产中作为替代原料的工业废物种类

替代类型	工业废物名称	工业废物类型 一般工业废物	危险废物
钙(Ca)	石灰干化污泥	√	—
	饮用水污泥	√	—
	工业石灰	√	—
	石灰浆	√	—
	电石渣	√	—
硅(Si)	铸造砂	√	—
	微硅	√	—
	废催化剂载体	√	—
	硅石废料	√	—
	石英砂岩粉	√	—
	石英砂岩尾矿	√	—
铁(Fe)	炉渣	√	—
	硫铁矿尾矿	√	—
	赤铁矿渣	√	—
	赤泥	√	—
	锡渣	√	—
	转化炉灰	√	—
硅-铝-钙 (Si-Al-Ca)	洗矿场废物	√	—
	飞灰	√	√
	流化床灰渣	√	—
	石材废物	√	—
石膏	低硫石膏	√	—
	化学灰泥	√	—

A.0.2 水泥生产中作为替代燃料的工业废物种类,应符合表A.0.2的规定。

表 A.0.2　水泥生产中作为替代燃料的工业废物种类

替代类型	工业废物名称	工业废物类型	
		一般工业废物	危险废物
固态、半固态	秸秆	√	—
	木屑	√	√
	屠宰业废料	√	—
	稻米壳	√	—
	棕榈壳	√	—
	废旧轮胎	√	—
	废塑料	√	—
	纺织废料	√	—
	废油墨	√	√
	废油漆	√	√
	非放射性废白土	√	—
	干化后污泥	√	—
	废纸	√	—
	纸板	√	—
	纺织品	√	—
	包装材料	√	—
	来自家庭、商业或生产和服务业的经分拣的废物	√	—
液态	废油	√	√
	石化废物	√	√
	油漆厂废物	√	√
	溶剂废物	√	—
	蜡状悬浊物	√	—
	沥青浆	√	—
	油泥	√	√
	活性炭污泥	√	—
	城市污泥	√	—
	河湖淤泥	√	—
	工业污泥	√	√

A.0.3 水泥生产中无害化处置的工业废物种类,应符合表A.0.3的规定。

表A.0.3 水泥生产中无害化处置的工业废物种类

处置类型	工业废物名称	工业废物类型	
		一般工业废物	危险废物
无害化处置	过期的杀虫剂	√	—
	多氯联苯	—	√
	过期的医药产品	—	√

A.0.4 水泥窑不宜处置的工业废物应符合表A.0.4的规定。

表A.0.4 水泥窑不宜处置的工业废物

处置类型	工业废物名称	工业废物类型	
		一般工业废物	危险废物
不宜处置	电子废物	—	√
	电池	—	√
	医疗废物	—	√
	腐蚀剂	—	√
	爆炸物	—	√
	放射性废物	—	√

本规范用词说明

1 为便于在执行本规范条文时区别对待,对要求严格程度不同的用词说明如下:

　　1)表示很严格,非这样做不可的:
　　　正面词采用"必须",反面词采用"严禁";
　　2)表示严格,在正常情况下均应这样做的:
　　　正面词采用"应",反面词采用"不应"或"不得";
　　3)表示允许稍有选择,在条件许可时首先应这样做的:
　　　正面词采用"宜",反面词采用"不宜";
　　4)表示有选择,在一定条件下可以这样做的,采用"可"。

2 条文中指明应按其他有关标准执行的写法为:"应符合……的规定"或"应按……执行"。

引用标准名录

《建筑设计防火规范》GB 50016
《水泥工厂设计规范》GB 50295
《厂矿道路设计规范》GBJ 22
《地表水环境质量标准》GB 3838
《环境空气质量标准》GB/T 3095
《水泥工业大气污染物排放标准》GB 4915
《污水综合排放标准》GB 8978
《恶臭污染物排放标准》GB 14554
《环境保护图形标志——固体废物贮存(处置)场》GB 15562.2
《水泥厂卫生防护距离标准》GB 18068
《危险废物焚烧污染控制标准》GB 18484
《危险废物贮存污染控制标准》GB 18597
《一般工业固体废物贮存、处置场污染控制标准》GB 18599
《城市污水再生利用 城市杂用水水质》GB/T 18920
《硅酸盐水泥熟料》GB/T 21372
《危险废物集中焚烧处置工程建设技术规范》HJ/T 176
《危险废物鉴别技术规范》HJ/T 298

中华人民共和国国家标准

水泥窑协同处置工业废物设计规范

GB 50634-2010

条文说明

制订说明

本规范制订过程中,编制组进行了我国工业废物处置情况的调查研究,总结了我国水泥窑协同处置工业废物工程建设的实践经验,同时参考了国外先进技术法规、技术标准,如欧盟标准《废弃物协同处置排放技术标准》2000/76/EC、美国标准《固体废物处置法》42 U.S.C. 6901-6992k 等。

为便于广大设计、施工、科研、学校等单位有关人员在使用本规范时能正确理解和执行条文规定,《水泥窑协同处置工业废物设计规范》编制组按章、节、条顺序编制了本标准的条文说明,对条文规定的目的、依据以及执行中需注意的有关事项进行了说明,还着重对强制性条文的强制性理由作了解释。但是,本条文说明不具备与标准正文同等的法律效力,仅供使用者作为理解和把握标准规定的参考。

目　次

1 总　则 …………………………………………………………（39）
2 术　语 …………………………………………………………（41）
3 设计原则 ………………………………………………………（42）
　3.1 总体设计原则 ……………………………………………（42）
　3.2 基本设计原则 ……………………………………………（43）
4 工业废物的处置规模、技术与装备要求 ……………………（44）
　4.1 规模划分 …………………………………………………（44）
　4.3 技术与装备要求 …………………………………………（44）
5 工业废物的主要类别及品质要求 ……………………………（46）
　5.1 工业废物的分类 …………………………………………（46）
　5.2 工业废物的品质控制要求 ………………………………（47）
6 总平面布置 ……………………………………………………（48）
　6.1 厂址的选择 ………………………………………………（48）
7 工业废物的接收、运输与储存 ………………………………（49）
　7.1 工业废物的接收 …………………………………………（49）
　7.2 工业废物的输送 …………………………………………（49）
　7.3 工业废物的运输车辆 ……………………………………（50）
　7.4 工业废物的储存 …………………………………………（51）
8 工业废物预处理系统 …………………………………………（52）
　8.1 一般规定 …………………………………………………（52）
　8.2 工业废物破碎、配伍系统 ………………………………（53）
　8.3 工业废物的干化处理 ……………………………………（54）
9 水泥窑协同处置工业废物的接口设计 ………………………（57）
　9.1 替代原料的接口设计 ……………………………………（57）

| 9.2 替代燃料的接口设计 ……………………………………（57）
| 9.3 水泥窑协同处置危险废物的接口设计 …………………（58）
| 10 环境保护 ……………………………………………………（59）
| 10.1 一般规定 …………………………………………………（59）
| 10.2 环境保护 …………………………………………………（60）
| 11 劳动安全与职业卫生 ………………………………………（62）
| 11.1 一般规定 …………………………………………………（62）
| 11.2 安全生产 …………………………………………………（62）
| 11.3 劳动保护 …………………………………………………（63）

1 总　　则

1.0.1 说明本规范编制的依据和目的。

根据《中华人民共和国循环经济促进法》、《中华人民共和国固体废物污染环境防治法》、《中华人民共和国大气污染防治法》、《中华人民共和国水污染防治法》、《中华人民共和国清洁生产促进法》、《城市污水处理及污染防治技术政策》、《城市生活垃圾处理污染防治技术政策》、《危险废物污染防治技术政策》、《危险废物焚烧污染控制标准》GB 18484 和国家废物处置领域其他有关法规,为了防治固体废物污染、保护环境,保障人民健康,维护生态安全,促进经济社会可持续发展,推行利用水泥窑协同处置废物的技术,制定本规范。2008 年,全国工业固体废物产生量为 190127 万吨,比上年增加 8.3%;排放量为 782 万吨,比上年减少 34.7%;综合利用量(含利用往年储存量)、储存量、处置量分别为 123482 万吨、21883 万吨、48291 万吨,分别占产生量的 64.9%、11.5%、25.4%。危险废物产生量为 1357 万吨,综合利用量(含利用往年储存量)、储存量、处置量分别为 819 万吨、196 万吨、389 万吨。由此可见,我国工业废物处置任重而道远。

编制本规范,旨在充分利用水泥窑的处置优势和能力,使处置后的固体废物达到稳定化、减量化、无害化和资源化的目的,并可达到低成本运行。这样就为解决工业废物长期处理难题,寻求一种有效利用的途径,为全国固体废物的减量处理和有效利用提供示范作用,从而从根本上消除固体废物及危险废物威胁人们健康生存的隐患,使生态环境与资源再生利用走上可持续发展的道路。

1.0.2 本条明确了规范适用的范围。本规范适用于处置工业废物,如可燃商业废物、可燃工业废物、获准处置的危险废物。对于可处置工业废物的主要类别在本规范第5章详细介绍。

1.0.3 本条规定了工艺设计的选择原则,工厂投产后要求达到优质、高产、低能耗。

1.0.4 本条规定了工艺技术流程及设备的选择原则,在确保实现各项技术经济指标的前提下,以国情和综合效益为依据,积极采用新技术、新工艺、新装备、新材料。

1.0.5 本条规定执行本规范时还应符合国家现行的节能、防火、劳动安全卫生、环境保护及计量等各行业相关的法规、标准和规范。这里有必要强调,在工程设计时,除应符合国家有关标准、规范的要求外,还应按照有关水泥行业标准和规定来处理。

2 术　　语

2.0.2、2.0.3 自2008年8月1日起施行的《国家危险废物名录》（环境保护部令第1号）中列出了危险废物的种类，水泥窑协同处置工业废物的判别可按此法令执行。

2.0.8、2.0.9 直接干燥与间接干燥的定义，适用本规范8.3节"工业废物的干化处理"。对干化工艺来说，直接或间接加热具有不同的热效率损失，也具有不同的环境影响，是进行项目环评和经济性考察的重要内容。

直接加热形式中热源烟气直接成为介质，其热效率接近燃烧效率本身。其余加热形式均是通过换热设备将热传给某种介质的间接加热。烟气可以通过热交换器将热量传给空气，空气作为换热介质与湿物料进行接触。烟气可以提高热交换器将热传递给导热油或蒸汽，然后利用导热油或蒸汽来加热金属或工艺气体，由金属热表面或工艺气体与湿物料进行接触。这两类通过热交换器的换热均形成一定的热损失，一般来说在8%～15%。

2.0.10 预处理技术主要包括分选、压实、脱水、破碎、干化等。工业废物经预处理过程，满足能进一步处理的要求，然后通过各种技术手段回收其中的能源和资源，达到安全化最终处置。

3 设 计 原 则

3.1 总体设计原则

3.1.1 制约水泥窑协同处置工业废物主要因素有:1)工业废物的发热量水平对替代燃料应用的制约;2)工业废物处置过程中生成的有害物质量和处置要求对水泥生产过程的影响;3)工业废物处置过程中新引入的有害元素含量对水泥窑生产的干扰程度;5)水泥生产企业自身技术水平的制约;6)利用工业废物替代原燃料后的用户及居民对处置过程及影响的认同程度。

和常规的燃料相比,工业废物作为替代燃料的热值相对要低得多,而一般每千卡的有效燃烧热对应的烟气量要比正常的燃料大一些,这样导致在处置利用这些替代燃料时,系统的实际热耗和形成的烟气量增加一些,因此利用工业废物替代燃料应充分考虑燃料的替代率对生产工艺过程的影响,并通过分析比较,确定恰当的处置比例。

废物中的硫、氯、碱含量也对水泥厂利用水泥厂窑协同处置工业废物有较大的影响。处置工业废物不可能成为水泥企业的主要生产任务,也不是企业的主要利润来源,因此处置利用工业废物替代燃料应以不影响水泥的正常生产过程为前提。工业废物替代燃料的处置量往往较大,其处置过程就必然要求对水泥厂的原料、燃料品质及配料方案进行调整。通常对有害的硫、氯、碱含量,水泥行业的控制标准为:折合至入窑生料其硫碱元素的当量比 S/R 应控制在 0.6~1.0,氯(Cl)元素则控制在 0.03% 以下。

3.1.3 对于危险废物的处置,应进行试验焚烧,控制指标应符合《危险废物烧污染控制标准》的有关规定。

3.1.4、3.1.5 水泥窑协同处置工业废物的污染物排放应符合相关现行国家标准的有关规定。主要有：《危险废物贮存污染控制标准》GB 18597；《危险废物焚烧污染控制标准》GB 18484；《环境空气质量标准》GB 3095；《地表水环境质量标准》GB 3838；《污水综合排放标准》GB 8978；《大气污染物综合排放标准》GB 16297；《水泥厂大气污染物排放标准》GB 4915；《水泥生产防尘技术规程》GB/T 16911；《水泥工业除尘工程技术规范》HJ 434；《固定污染源排气中颗粒物测定与气态污染物采样方法》GB/T 16157；《工业企业厂界环境噪声排放标准》GB 12348 等。

3.2 基本设计原则

3.2.1 中华人民共和国环境保护部 2006 年 第 11 号公告《固体废物鉴别导则（试行）》对固体废物的范围、鉴别方法有详细规定。

3.2.2 水泥窑协同处置工业废物的生产线宜利用现有水泥生产线的设施、机构等，为节省投资，不应重复建设。特别是处置系统的辅助设施等应尽量利用生产线的设施，如机修、仪修等检修车间，材料库等辅助车间。

3.2.4 根据我国水泥工业产业发展政策，2008 年底前，各地要淘汰各种规格的干法中空窑、湿法窑等落后工艺技术装备，进一步消减机立窑生产能力，有条件的地区要淘汰全部机立窑。地方各级人民政府要依法关停并转规模小于 20 万吨环保或水泥质量不达标的企业。到 2010 年，新型干法水泥产能比重达到 70% 以上。到 2020 年，企业数量由目前的 5000 家减少到 2000 家，生产规模 3000 万吨以上的达到 10 家，500 万吨以上的达到 40 家。基本实现水泥工业现代化，技术经济指标和环保达到同期国际先进水平。为确保处置工业废物同时窑况稳定，处置完全的要求，因此本规范规定在工业废物的处置上宜选用生产规模为 2000t/d 及以上的大中型新型干法水泥生产线。

4 工业废物的处置规模、技术与装备要求

4.1 规模划分

4.1.1 本条规定了利用水泥窑协同处置工业废物设计规模。本条规定主要用于指导设计工作。

4.3 技术与装备要求

4.3.1 本条规定了工业废物焚烧处置技术装备要求。

从焚烧工艺来看,使用新型干法水泥回转窑协同处置工业废物完全满足危险废物焚烧处置要求:

(1)处理温度高。新型干法回转窑内物料烧成温度应保证在约1450℃(炉内最高的气流温度可达1800℃或更高),在如此高温下工业废物中主要有机物的有害成分焚毁率可达99.99999%以上,即使很稳定的有机物也能被完全分解。

(2)焚烧空间大。新型干法回转窑是一个旋转的筒体,一般直径在3.0m～5.0m,长度在45m～100m,以每小时100转～240转的速度旋转,焚烧空间很大。因此它不仅可以接受处理大量的废料,而且可以维持均匀的、稳定的焚烧环境。

(3)焚烧停留时间长。新型干法回转窑筒体较长,斜度小,旋转速度低,物料在窑中高温下停留时间长,物料从窑尾到窑头总停留大于20min;气体在高于1300℃温度的停留时间远远大于4s。

(4)处理规模大。新型干法回转窑具有处理温度高、焚烧空间大、热容量大以及焚烧停留时间长等特点,加之新型干法回转窑运转率高(一般年运转率大于90%),决定了新型干法回转窑的废物处理规模较大。

另外,与建专用焚化炉相比,利用新型干法水泥窑协同处理工

业废物除满足上述要求外,还有它的独特性,即:所有其他的处理方式都存在焚烧灰渣的二次处理问题,而新型干法水泥窑可直接利用灰渣。废物焚烧后的残渣(如污泥残渣),均成为无害盐类,往往具有可利用的组分,在水泥工艺中可替代部分天然原料,并且在废物的处理过程中,直接参与了熟料的固相反应、液相反应和熟料烧结过程,参与熟料的形成。同时某些含热值的废物在水泥窑焚烧,还可替代部分生产所需燃料。因此新型干法水泥窑处理废物不存在焚烧灰渣的二次处理和周转污染。国内目前有北京、广州等已经进行过工业废物的工业试验,取得了良好的效果,并获得了较成熟的操作运行经验。广州已经投产一条焚烧城市污泥制水泥的生产线。

3 高温区包括以下位置:窑头、窑尾烟室、分解炉等。

4、5 工业废物的处置一般先要将其按性质分类,经预处理过程,达到混合均匀,以保障水泥窑稳定、安全、高效运行。预处理技术主要包括压实、分选、破碎、脱水和干燥等。

4.3.2 本条规定了一般工业废物及危险废物投入的温度区域及烟气停留时间,参照《危险废物焚烧污染控制标准》GB 18484 及《生活垃圾焚烧污染控制标准》GB 18485 指定此规定。

4.3.3 本条为强制性条款。制定本条的依据是《危险废物焚烧污染控制标准》GB 18484。

在《危险废物焚烧污染控制标准》GB 18484 中规定了危险废物焚烧炉的技术性能要求,见表1。

表1 焚烧炉的技术性能指标

废物类型	焚烧炉温度 (℃)	烟气停留 时间(s)	燃烧效率 (%)	焚毁去除率 (%)	焚烧残渣的 热灼减率 (%)
危险废物	≥1100	≥2.0	≥99.9	≥99.99	<5
多氯联苯	≥1200	≥2.0	≥99.9	≥99.9999	<5

5 工业废物的主要类别及品质要求

5.1 工业废物的分类

5.1.1 本条按照工业废物在水泥窑中的处置利用方式划分了水泥窑协同处置工业废物的类别。水泥窑协同处置工业废物,可分为替代原料、替代燃料和无害化处置。不论哪一种处理方式均应符合《水泥工厂设计规范》GB 50295 中有关原料与燃料的规定。

我国已经在不同水泥生产企业进行了部分工业废物的工业应用研究试验,并取得了很好的应用效果。实践表明,工业废物可以作为水泥生产替代原料或燃料,节约能源与资源,符合国家发展循环经济的政策。

5.1.2 此条参照欧洲有关标准制定。

5.1.3 水泥窑是敏感的热工系统,热流、气流及物料流的变化会打破系统本身的平衡,给水泥窑的稳定生产带来干扰,使用替代燃料时系统应免受过大干扰。工业废物的热值比传统燃料的热值低,为达到相同的燃烧温度,必然需要增加热能,即增加替换燃料量,相应也会导致系统烟气量的增加,造成回转窑和预热器系统气体流速过高,打破原有的各种平衡。

为保证回转窑的热工制度,燃料完全燃烧放出的热量和燃料及空气带入的物理热全部用于加热烟气,同时考虑到各种热损失,燃料燃烧生成的烟气所达到的温度即实际燃烧温度。根据这一原则,工业废物作为替代燃料为保持燃烧温度及烟气量增加较少要求,有最低热值的要求。根据数值计算结果及欧洲一些科研机构及国家的实验与生产实践表明,替代燃料最低热值为 11MJ/kg,保证窑内燃烧温度的前提下,烟气量增加很少,不会破坏窑内平衡。替代燃料尽量选用灰分较低、挥发份适当、热值较高的工业废物,并尽量保证成分的稳定性。对工业废物替代燃料的检验应依据《固体生物质燃料检验通则》进行。替代燃料水分的降低,蒸发替代燃料中水分所需的热量也降低,这会使工业废物中的热值发挥更加充分。

5.2 工业废物的品质控制要求

5.2.1 利用水泥窑协同处置工业废物作为替代原料、燃料应满足生产配料要求,以免导致使用后变更或增加配料品种,给配料和工艺流程带来不便。

5.2.2 现行国家标准《水泥工厂设计规范》GB 50295 中有对水泥工厂协同处置废物重金属含量的规定,对锑、砷、铍等 14 种重金属元素在水泥熟料和水泥中的含量要求作出了规定,可按此要求执行。重金属存在于所有水泥厂原燃料中,即使在不协同处置工业废物时,熟料中的重金属含量也会有很大波动,这取决于原料的地区、地质的情况。通过国内外的资料及工程实践,在统计的基础上显示:工业废物进入水泥窑系统对熟料的重金属含量的影响是可以符合国家标准要求的。

6 总平面布置

6.1 厂址的选择

6.1.3 本条说明水泥窑协同处置工业废物的建设场地的选址原则。普通水泥厂的厂址选择,应符合城乡总体规划和环境保护专业规划,但协同处置工业废物的水泥厂厂址选择应严于普通水泥厂的厂址选择,有的水泥厂建设地点不适于作为协同处理工业废物的建设场地。

7 工业废物的接收、运输与储存

7.1 工业废物的接收

7.1.1 本条规定了水泥厂工业废物接收的总体原则。水泥窑协同处置工业废物的生产附属设施和生活服务设施等辅助设施应根据社会化服务原则统筹考虑,避免重复建设。

7.1.2 本条规定了计量设备的设计原则。工业废物计量汽车衡应依据其规模、类型、综合工艺要求及技术路线确定,布置应流程合理、布置紧凑,便于转运作业,能有效抑制污染。

7.1.4 本条为强制性条款。为保证环境安全,卸料空间必须密封。

7.1.5 本条规定工业废物进厂应进行质量检验。特别是接收验收危险废物时,若发现危险废物的名称、数量、特性、形态、包装方式与联单填写的内容不符,可拒绝接收废物,并及时向市环境保护行政主管部门报告。

7.1.6 本条为强制性条款。为预防安全事故的发生,当运输工业废物的车辆进场卸料时,必须按作业指示标牌和安全警示标牌进行作业。安全警示标志应符合《环境保护图形标志——固体废物贮存(处置)场》GB 15562.2 的有关规定。

7.2 工业废物的输送

7.2.1 本条文对工业废物输送设计作了原则规定。输送是工业废物处置必不可少的环节。工业废物的种类繁多,性质各异,输送设备应根据物料的物理特性及温度等条件选用。湿含量在50%以上的宜优先考虑采用泵送的方式进行输送,湿含量在40%~80%的膏状废物短距离输送可采用螺旋输送,作为给料设备使用时，螺旋输送应具有自清洁结构，且宜采用双轴螺旋；湿含量在30%～50%的湿粘性物料，输送设备应采用防粘连输送设备，水分含量在40%以下的颗粒或块状物料宜采用链运机、胶带输送机运输。输送磨蚀性、腐蚀性高的物料应有防磨、防腐措施。为了保证设备的正常运转，输送设备应有一定富余的输送能力。

7.2.2 本条规定了厂区内工业废物输送的原则。

1 危险废物专门容器应符合现行国家标准《危险废物贮存污染控制标准》GB 18597的规定。装运危险废物的容器应根据危险废物的不同特性而设计，不易破损、变形、老化，能有效地防止渗漏、扩散。容器应贴有标签，标签上应标明危险废物的名称、容量、成分、特性以及发生泄漏、扩散污染事故时的应急措施和补救方法。

2 输送设备的转运点设置除尘是为了防止灰尘飞扬、污染环境。

3 有些工业废物中有挥发性恶臭气体逸出，为保证厂区内环境不致对人产生不良影响制定本款。

7.2.3 本条规定了工业废物采用泵送管道输送的原则。在寒冷地区要保证泵送管道不致结冻，以免影响正常生产。在设计中应有措施来防止和处理堵塞的发生。管道输送设计可参考国家现行标准《浆体长距离管道输送工程设计规程》CECS 98：98。

7.3 工业废物的运输车辆

7.3.1 本条规定了工业废物运输车辆的选择原则。应依据需要协同处置的工业废物的种类特性选择，松散的工业废物应选择配用打包压缩设施或选用带填装、压实机械设备的运输车辆；含水分较大的污泥类废物应采用密封容器运输或使用罐装车辆运输。废物输送车辆的规格应依据运输物料量、运输包装方式、日处理能力等综合评估，并通过归并处理，减少规格型号的选用量，方便调配及管理。

7.3.2、7.3.3 危险废物的运输要防止运输过程中的二次污染和可能造成的环境风险,应采用密封的箱式车辆进行运输。

7.3.4、7.3.5 此两条规定了工业废物的运输车辆数量的确定方法。

7.4 工业废物的储存

7.4.1 一般工业废物及危险废物采样和特性分析应符合《工业固体废物采样制样技术规范》HJ/T 20,危险废物采样和特性分析还应符合《危险废物鉴别标准》GB 5085.1~3 中的有关规定。

7.4.2、7.4.3 根据工业废物来源不定、种类波动较大的情况,应将不同种类、不同批次的工业废物分开存放。不得将一般工业废物与危险废物共同存放。性质不相容而未经安全性处置的危险废物堆放区应用隔离间进行隔断。

7.4.5 《环境保护图形标志——固体废物贮存(处置)场》GB 15562.2 中规定了一般固体废物和危险废物两种图形标志,用于提醒人们注意废物储存、处置过程中可能造成的危害。

7.4.6、7.4.7 此两条规定了一般工业废物贮存设施的要求。一般工业废物的处置应符合《一般工业固体废物贮存、处置场污染控制标准》GB 18599 中关于环境保护控制与监测的要求。

7.4.8、7.4.9 危险废物的储存设施应根据《危险废物贮存污染控制标准》GB 18597,结合水泥厂的设计与实践制定。除在常温常压下不水解、不挥发的固体危险废物可在储存设施内分别堆放外,其他危险废物应装入容器内。

7.4.12~7.4.14 本条规定了各种工业废物的储存周期,为了保证工业废物的均衡连续处置,各种工业废物在厂内需要有一定的储存量。物料的储存期应根据物料来源、物料性能、运输方式、储库形式、工厂控制水平、市场因素等情况综合确定。设备大修一般考虑为 15d。

8 工业废物预处理系统

8.1 一 般 规 定

8.1.1 根据国家现行建材工业技术政策与工业废物处置的相关政策,为在不影响产品质量的前提下实现工业废物处置最大化作出的规定。工业废物经预处理过程,满足能进一步处理的要求,然后通过各种技术手段回收其中的能源和资源,达到安全化最终处置。预处理技术主要包括分选、压实、脱水、破碎、干化等。

8.1.2 本条规定了预处理系统主要工艺设备的年利用率。预处理系统需要从现有水泥生产线或余热发电系统获取热能作为预处理系统热源使用的,其年运转率应考虑现有系统的制约。预处理系统主机设备是根据近年来投产的水泥工厂的设计数据和投产后的情况确定的,设计时应结合具体条件确定。

8.1.3 本条规定了预处理系统主要子项的工作制度,根据水泥工厂工作制度来制订。

8.1.4 本条规定了利用水泥窑协同处置工业废物的热耗及电耗的统计方法。

利用水泥窑协同处置工业废物必然引起水泥窑系统热耗的变化,计算水泥窑系统热耗的变化,应按照工业废物的入窑收到基低位热值作为计算依据,水泥窑系统的热耗应由传统燃料热耗加上替代燃料热耗两部分构成。

如废物预处理过程需要增加其他燃料进行工业废物的干化及脱水处理,此部分的热耗支出应视为工业废物预处理热耗。采用水泥生产过程的烟气或尾气作为废物干燥的热源使用的,替代燃料比例的计算公式不进行修正,但应注明包含废物处置热耗。

预处理系统预处理过程需要提供热源的(如工业废物的干化

及热解预处理),则应计入干化、热解等预处理过程的热耗,预处理热源应优先采用生产废热。

8.2 工业废物破碎、配伍系统

8.2.1 工业废物的破碎、配伍系统的布置应根据工业废物来源与厂区的距离、工业废物运输,并通过经济比较后确定。同时应优先考虑与水泥工厂共用现有设施。

8.2.2 本条提出了破碎流程的选择原则。各种工业废物破碎系统要求的成品粒度决定于后续处理工艺对粒度的要求,应根据最终处置的设备形式、性能确定破碎系统的破碎比。

8.2.3 工业废物替代原料的破碎机优先按照与现有生产线共用破碎设备为主,需要单独设置破碎的,应依据物料的特性选择,单段破碎系统宜选用锤式破碎、反击式破碎机,多段破碎系统一破宜选用颚式、锤式破碎机,二破宜选用锤式、反击式、辊式破碎机。

利用水泥窑协同处置销毁的工业废物在采用多段破碎时,应考虑废物分选过程中部分物料的循环破碎对破碎能力的要求,并依据各级破碎机合理的工作制度实现各级破碎之间的能力匹配。拟处置的工业废物,如果以大块物料为主,在进入第一级破碎机应设置重型板式喂料设备,喂料设备的宽度要满足破碎机的入口宽度要求。板式喂料设备应能荷载启动,并可按照破碎机的实际工作能力自动调整板式喂料机的速度。

8.2.4 工业废物替代燃料破碎系统采用多级破碎,破碎设备应与筛分设备联用,各段破碎设备的破碎比及工作制度应根据破碎系统的年工作天数、运转班制、班工作小时数、预处理系统的生产不均衡性等进行确定。

工业废物替代燃料的制备应依据废物的燃烧特性确定合适的成品粒度要求,并依据替代燃料的粒度要求合理选择破碎段数。废物替代燃料一级破碎宜选用低转速的剪切式破碎、辊式破碎;二级破碎宜冲击式破碎、剪切式破碎、辊式破碎、锤式破碎机;三级破碎宜选用高转速的回转式破碎机、辊式破碎机。

8.2.5 本条规定了危险废物破碎的基本原则,要保障工厂的环境安全性与工人的人身安全。

8.2.6、8.2.7 分选的目的是将工业废物中可回收利用的或不利于后续处理处置工艺要求的物料分离出来。物料分选应依据分选物料的特性、分选要求确定合理的分选方式。采用磁选、金属涡流分选的应设置输送设备的落料点或者设置在粒度分选设备的进出口。采用弹性分选的,宜配置在干燥设备之后,并应保证物料干燥度的稳定。采用气流分选应优先与烘干过程联用,气流分选的尾气应进行除臭及除尘处理。预处理分选过程的尾气净化应优先选用各扬尘点集中收尘处理,露天布置的分选设备则可设置独立的收尘设备。采用分选工艺剔除水泥生产有害组分的,被分选的有害组分富集应设计排出及储存系统,并应在水泥窑系统或厂外采取相应的处置措施。

分选设备的规格应满足预处理系统的生产不均衡性能力的要求,分选的类型应依据所处置废物的工艺技术要求确定,并适当预留协同处置废物的冗余能力,以备工业废物类别及处置要求的变更。筛分过程应与干燥过程优先集中布置,金属分选应布置在高速破碎或粉磨设备之前。

8.2.9、8.2.10 此两条是对混合搅拌配伍的工艺要求。

8.2.11 混合配伍装置的设备控制及安装、维护有一定的复杂性,不宜选用。

8.3 工业废物的干化处理

8.3.1 工业废物的成分复杂,与水泥原料的烘干相容性较差,故其干化系统应单独建设。

8.3.3 本条规定了含有水分的工业废物在烘干预处理时的处置原则。含水的工业废物一般有可利用的热值,但是由于大量水分的存在,使得这部分热值无法得到利用。如果利用水泥窑直接处置,不但得不到热值,还需要大量补充燃料才能完成燃烧,同时进入水泥生产系统的水分将不可避免地影响生产的热平衡。如果将工业废物含水率降到一定程度,就可能燃烧,而且燃烧所得到的热量可以满足部分甚至全部干化的需要。因此,通过烘干降低工业废物的含水率,是资源化利用的重要一步。烘干后工业废物的水分含量对于干化系统来说是非常重要的参数。这个数值越低,一般来说投资越大。此外,它还是一个有关安全性的重要参数。因此选择合适的烘干后含水率对工业废物的处置非常重要。

8.3.4 本条规定了烘干系统热源的选用原则。烧成系统的废气是指在保证水泥生产线设计指标(熟料热耗、熟料产量、熟料电耗)不变的条件下,在不影响如生料烘干、煤磨烘干的前提下,烘干热源采用预热器或冷却机产生的废气。废气余热的利用是资源综合利用、提高资源的有效利用率的主要手段。在原有水泥生产线增加工业废物烘干系统时,因原生产线设计时没有考虑余热利用的因素,因此当烧成系统废气的烘干能力核算不足时,可设置单独燃烧设备供热,但应对增加额外热量对原水泥生产线的影响进行分析,确保原有设备的正常运行,如分析结果不能满足正常运行要求,应采取有效措施。

8.3.5 本条规定了烘干系统的设计原则。烘干系统采用烟气直接干燥或是间接干燥,首先应根据工业废物的形态、处理量、处理方式选择,然后根据物料特性加以探讨,再结合水泥厂总平面布置、热源问题选出适宜的干燥器形式及工艺流程。常用的烘干设备有旋流喷动式干燥机、三通式回转圆通干燥机(即转鼓干燥机)、间接加热式回转圆通干燥机、带粉碎装置的回转圆通干燥机、流化床干燥机、蝶式干燥机、浆叶式干燥机、盘式干燥机、带式干燥机、太阳能污泥干燥房等。

8.3.6 烘干系统在利用烧成系统废气时,为简化缩短热风输送管道,简化干燥前后物料的输送,方便操作管理,降低管道投资,减少散热损失,宜布置在预热器塔架和废气处理系统附近,并贴近替代原燃料的储存设施。

8.3.7 被干化的物料一般具有污染物性质,同时烧成系统废气含尘量大,也将带来排放问题,因高温烟气的进入是持续的,因此也造成同等流量的、与物料有过直接接触或间接换热的废气产生,这些废气应经特殊处理后排放。

8.3.8 许多工业废物在干化处理后呈粉状或散装物料的状态,而粉状物质与空气混合形成的含粉尘混合气常常是易于爆炸的危险品。为了防止生产过程中发生意外事故,应做好干料粒度、温度、一氧化碳(CO)含量、氧气含量等危险因素的实时监测工作,并设置必要的消防灭火装置。通过综合考虑,本规定推荐采用袋收尘器,且对烟气温度作出了规定。

9 水泥窑协同处置工业废物的接口设计

9.1 替代原料的接口设计

9.1.1 替代原料储存方式的选择应根据原料性能,并应结合工厂规模、储存方式、自动化水平、环保要求以及投资等综合因素确定,且须符合现行国家标准《水泥工厂设计规范》GB 50295 的有关规定。《水泥工厂设计规范》中规定了主要物料的配料仓容量不应小于磨机 3h 的喂料量。

9.2 替代燃料的接口设计

9.2.1、9.2.2 利用水泥窑协同处置可燃性工业废物,应当尽可能在温度高于废物稳定燃烧温度的区域投入,以保证焚毁效果。可燃性工业废物一般以从分解炉、烟室、烧成系统窑头等高温部位加入为宜。

依据热值估算,替代燃料的理论燃烧温度为 1200℃～1300℃,考虑到助燃风对温度的修正,在窑头主燃烧区域的理论燃烧温度为 1500℃～1680℃,其燃烧提供的最大热力辐射强度低于水泥熟料烧成过程中所需要的热力辐射强度,因此这些废物替代燃料在窑头受到较大的限制,在窑头主燃烧器的利用应和煤粉搭配,且添加量极其有限,其主要的利用应考虑为窑尾生料分解所需的燃烧放热。在分解炉处,燃烧的平衡温度通常在 850℃～1050℃之间波动,在此温度下燃烧的进程主要受到燃烧的动力学过程控制。和普通的烟煤相比,废物替代燃料的活化能低得多,因此燃烧反应的势陷也相应平缓得多,在分解炉内生化残渣的燃烧着火及稳定燃尽也相应迅速得多。此外,在分解炉内利用这些替代燃料不会对分解炉的炉容、气流的停留时间有额外的要求,采用正常的操作方式即能实现废物的处置利用。由于在分解炉内的燃烧主要受到燃料的燃烧动力学参数的控制,因此颗粒的大小对燃烧的进程有比较明显的作用。废物作为替代燃料进行工业利用时,应严格控制替代燃料的颗粒当量直径,确保其在分解炉内的完全燃烧。

9.3 水泥窑协同处置危险废物的接口设计

9.3.1 本条对水泥窑协同处置危险废物的接口设计作出了规定。

2 利用水泥窑协同处置危险废物,在水泥窑窑尾及上升烟道耐火材料的选择上应考虑能够抵抗碱金属和酸的腐蚀。

4 危险废物中易造成窑尾结皮风险的有害物质较多,在烟室及分解炉下方,C5下料管处增加空气炮的设置用于及时清理结皮。空气炮的设置位置应根据危险废物的特性确定,以不影响下料口安全为宜。

10 环境保护

10.1 一般规定

10.1.1 环境影响评价是对项目实施后可能造成的环境影响进行分析、预测和评估，提出预防或者减轻不良环境影响的对策和措施，并进行跟踪监测的方法与制度。尽管协同处置工业废物利于环境保护，但由于项目的特殊性，在政府作出决策的过程中，其建设规模、处置工业废物种类、厂址选择、防护距离、污染防治措施等问题应通过环境影响评价，并应请有关专家对项目方案做环境方面的咨询，这对政府的正确决策必然会产生积极的影响。项目如果事先不做环境影响评价，建好后出现任何影响环境或周围居民的情况，都可能被责令停产、搬迁、拆除，将造成人、财、物的极大浪费。

10.1.2 卫生防护距离是指产生有害因素的部门（车间或工段）的边界至居住区边界的最小距离。从风险评价角度而言，卫生防护距离一般指出现事故后污染物可能波及的范围，它不但要保护人类，而且要保护所有敏感目标。协同处置工业废物的水泥厂不仅应执行《水泥厂卫生防护距离标准》GB 18068，当处置一般性工业废物时，还应满足《一般工业固体废物贮存、处置场污染控制标准》GB 18599 的要求，当处置危险废物时，尚应满足《危险废物储存污染控制标准》GB 18597 的要求。同时还应满足环境影响评价报告书提出的卫生防护距离要求。

10.1.3 水泥回转窑内的烟气温度高、物料在窑内停留时间长，有利于有害废物的分解。但产品性质应符合现行相应标准要求，当处置一般性工业废物时，应满足《一般工业固体废物贮存、处置场污染控制标准》GB 18599 和《生活垃圾焚烧污染控制标准》GB

18485的要求,当处置危险废物时,应满足《危险废物焚烧污染控制标准》GB 18484的要求。厂内工业废物及其他废物储存场所及处置过程污染物的排放均应符合相应的现行标准要求。总之,水泥工厂在综合利废、服务社会的同时,应采取先进的生产工艺和切实可行的措施,保证产品质量、避免发生二次污染。

10.1.4 本条为强制性条款。一切可能对环境造成污染或损害的建设项目,其中防治污染的设施和其他环境保护设施,必须与主体工程同时设计、同时施工、同时投产使用,简称为"三同时"制度。这是我国建设项目环境管理的一项基本制度。建设项目必须按照"三同时"的规定,把环境保护措施落到实处,防止建设项目建成投产使用后产生环境污染问题。同时,设计又是同时施工、同时投产使用的前提。

10.2 环境保护

10.2.1 工业废物储存场所应符合现行国家标准的要求。应设计不同相容性危险废物的储存场所;按照各类工业废物的特性设置储存场所,并做好各种防治有害物散发的设计。

10.2.2 现行国家标准《危险废物贮存污染控制标准》GB 18597中要求,危险废物储存设施(仓库式)必须设置泄漏液体收集装置、气体导出口和气体净化装置,以严防其泄漏危害污染环境。

10.2.4 水泥窑协同处置工业废物过程中的烟气排放应符合《水泥工业大气污染物排放标准》GB 4915的有关规定。现行国家标准《水泥工业大气污染物排放标准》GB 4915不仅规定了一般水泥厂的大气污染物排放标准,同时明确了水泥窑焚烧危险废物时各种污染物排放应执行的标准。

10.2.6 本条强调处置工业废物水泥厂的污染防治设施的污染防治能力应适应主机能力的需要,并应与主机设备同步运转,各生产环节主机设备与污染防治设施设置连锁是必要的手段。

10.2.8 水泥窑往往会因工况不稳定造成一氧化碳(CO)预警等

不正常情况出现,此时水泥窑不停止生产,而电除尘器却出于安全考虑自动关停,造成水泥窑粉尘超标排放。故本条针对电除尘器存在这种"非正常排放"的问题提出不得使用静电除尘。当水泥厂处理废物、尤其是危险废物时,应杜绝这种非正常排放。高效布袋除尘器在这方面有明显的环保优势。新建水泥生产线应采用高效布袋除尘器,这也符合《水泥工业大气污染物排放标准》GB 4915的要求。

10.2.9 应实行清污分流,减少污水量,提高污水浓度。废物运输车辆及储存容器的冲洗废水、生产废水、生活污水应分类收集后分别处理,投资省、占地少、运营成本低。不得将未经处理的各类污水直接汇入雨水排除系统排放。

10.2.11 运输、预处理及储存各种工业废物的过程难免会在场地留有各种废物的残渣,它们将随雨水流入周围水体污染环境。因此涉及范围内的初期雨水应与废物运输设施冲洗水和渗滤液一并收集、集中处理。

10.2.12 本款中要求处置工业废物过程中产生的废水应本着节约用水的原则,提高水的重复利用率,尽可能回收再利用,以减少废水排放量,从而减少对环境的污染。

10.2.13 本条为强制性条款。工业废物在处置过程中产生的渗滤液及废水中污染物浓度很高,直接排放或随意倾倒会给人体健康和环境带来很大危害。

11 劳动安全与职业卫生

11.1 一般规定

11.1.1 处置工业废物,特别是处置危险废物的过程中,存在诸多的劳动安全、职业卫生问题,因此在设计过程中应贯彻国家和地方现行法律法规和标准的要求,从源头控制劳动安全、职业卫生风险和隐患。

11.1.2 集中处置工业废物本身就是一项重要的为全社会服务的环境保护措施,但应采取相应措施为员工设计安全、文明的处理、处置废物的环境,保护员工的身体健康不受伤害。

11.1.3~11.1.5 此3条是根据《建设项目(工程)劳动安全卫生监察规定》制定的。如有重大的劳动安全、职业卫生的设计方案变动,应征得主管审批部门的意见。劳动安全、职业卫生、职业病防治专项设施包括:空气净化设施、冲洗设施、医疗室、个人防护用品等。

11.1.6 本条为强制性条款。按照国家相关法规,劳动安全、职业卫生设计必须执行劳动安全、职业卫生设施与主体工程同时设计、同时施工、同时投产使用的规定。

11.2 安全生产

11.2.1 工业废物尤其是危险废物的收集、运输过程管理难度大,一般应由专业运输单位承担。处置工业废物的水泥工厂自行收集、运输时,其装载容器、运输车辆均应符合现行国家相关标准的要求,运输过程应按照相关技术规范进行。

11.2.2 本条为强制性条款。危险废物收集、运输过程中必须制定应急处理程序,以便一旦发生翻车或撞车等导致危险废物泄漏的事故,立即进入应急处理程序,以防止重大人身伤害事故。

11.2.6 储存、处理工业废物的场所及主要通道,进出口等处要设电流自动切换箱或自动应急灯,目的是为了提高照明供电的可靠性或在照明突然停电时便于人员疏散,以防发生人身伤亡事故。

11.2.7 工业废物储存、处理场所应设置可靠的通信设施,以保证员工在遇到意外时能及时求助。

11.3 劳动保护

11.3.1、11.3.2 协同处置工业废物的工厂,车间空气中的粉尘含有有毒有害物质,直接影响巡检工人的身体健康,因此要求设计中采取各种有效措施,使车间内操作地带粉尘浓度控制在国家标准限值之内,防止对工人的危害。

对散放粉尘的生产设备和生产过程,应采取预防为主的措施,以减少粉尘,并采取通风除尘,以减轻对操作人员的危害。

11.3.3 本条为强制性条款。集中处置工业废物的车间或场所,必须对突发事件进行充分应急准备,必须考虑应急与救援设施的配套。为减轻酸碱或其他腐蚀性物质对人身的伤害,一般应及时进行清洗,在第一时间将伤害降低到最低程度,因此在相应车间和场所要求设置冲洗设施,并应为这些设施配备供水、供电等保证设施。同时应根据危险废物种类配备防护面罩、防护手套、防护靴直至防护服等个人防护用品。

11.3.4 保证工业废物储存、处理车间及场所室内形成微负压,是为了防止有毒、有害气味逸出,空气净化设施是为了将气体除臭、除味后排出。

11.3.5 采取自控与遥控措施,以避免操作人员与粉尘及有毒有害物质直接接触,减轻危害。

11.3.6 协同处置工业废物的水泥厂因其原料及处理过程的特殊性,工厂应设置医疗室,具有简易处理突发性人身伤害事故的能力。